Premium

SLAM DUNK

슬램덩크 완전판 프리미엄

TAKEHIKO INOUE

20

● CONTENTS ●

山王工高
4

날이 밝자마자
눈을 뜬
천재 강백호!!
ㅡ는
아침 출발
전까지의
시간에도,
자신의 성장을
위한 특훈
숏을 쏘고 있다.
#219 강호등장
왜냐하면…!!
이 천재가
얼마나
성장하느냐에
따라
'타도 산왕'이
결정되니깐!
그렇지,
소연아…♡
맞아.
…….
느낌이
와…!!
이젠 좀
알겠어!
들어갈
때와
들어가지
않을 때의
차이를…!
틀렸어!

그것 보라구.
카앙
헉
헉
……
하반신이 함께 움직이지 않으면 절대 안 들어가.
지면을 밟고, 무릎을 충분히 구부려 힘껏 뛰어오르면, 그땐 들어간다.
더구나 점프할때까지면 재빠르게……

그렇지!
철
썩
전국 대회
이틀째

오늘은
각 경기장에
시드를 배정받은
학교가 등장한다.
영민 씨는
명정공업고
경기를
맡아.
예.
오늘 시합
9 : 30 명정공업
상 성
11 : 00 동 파
장재룡입니다.
잘부탁해요.
권영민
기자
입니다.
변신!
수퍼 라이터!!
와
아
아
아
오늘 시합
10 : 00 해남대부속고
×
마 성
11 : 30 산왕공업고
×
북 산
13 : 00 금 산
×
아하하핫!
우린
산왕—북산
경기다.

와 아 아 아 아
第 回全国高等学校バスケットボール 選手権大会
MAMIYA WEST
KAINAN
이정환!
아!

WEST
KAINAN
!!

신준섭!
SPECTATOR SEATS

들어갔다—!!
이것으로 3점슛 다섯 개째!
해남대부속고
4.2
마 성
SEIKO
48
1ST
20
으랏차!
첫…
해남의 오늘 경기는 아무 문제 없겠어.
앗!

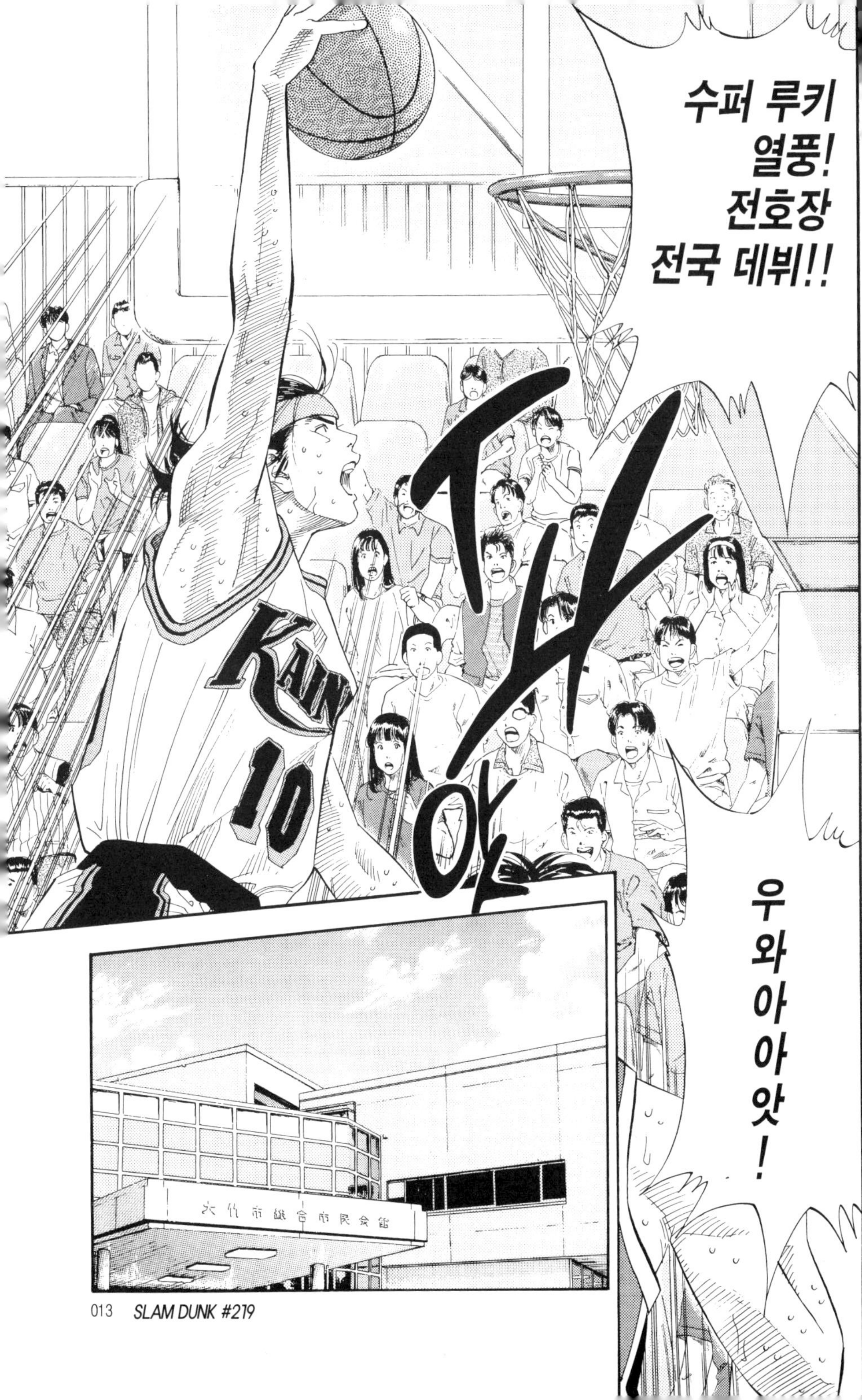
수퍼 루키
열풍!
전호장
전국 데뷔!!
우와아아앗!

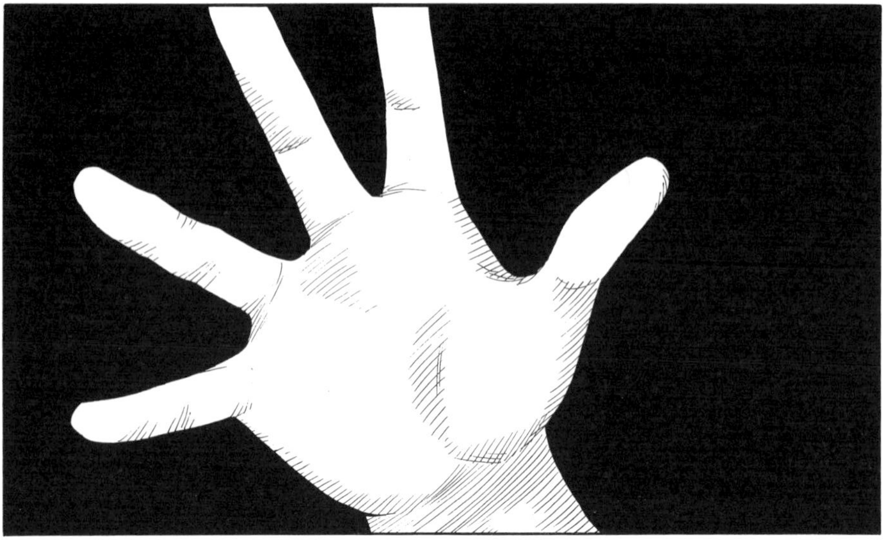

우왓!!

……
……
헉!
헉!
헉!
가자!
김판석!
게으름 피우지 말고 너도 뛰어!
뛰고 있어요, 아저씨!

쿠웅
쿠웅
쿠웅
쿠웅
꿀
꺽
……
헉!
빌어먹을!!
빌어먹을!!
빌어먹을!!
헉!
헉!

아, 도대체
무슨 짓을!
뭘 할
생각이야?

쾅
차앗!
와
전반종료!
삐-----익
해남대부속
마성
흥….
와아앗! 덩크슛 이다!!
완전 스프링 이다!!
재가 1학년 이라구?!
좋아, 가자! 연습이닷!!
오우!

아무리 채치수라 해도…
역시 산왕전이라 그런지 긴장 했구나.
멍청이 눈에 띄고 싶어서 아주 발악을 하는구나!!
뭐가 얼어 죽을 수퍼루키냐!
웃기지 마라!
야생 원숭이 주제에…
흥! 빨강 원숭이 놈!!
샘나서 그러는 거지?!
한마디 해둘 테니, 서태웅에게도 전해라!!
고인의 명복을 빕니다 ….
전호장!! 어서 와!!
이 야생 원숭이가…!
응?!

산왕이닷!!
나왔다!!
와
난 너희들이 보고 싶어서 시골 촌구석에서 올라왔다구!!
아
우와, 산왕이다!
아
아
SANNOH
BASKETBALL
SANNOH
BASKETBALL

정우성!
와아아
욱…
뭐, 뭐야! 이 함성은!!
아
아
아직 연습일 뿐인데?!
아
시끄러워 죽겠네.
올해도 잘 부탁한다!!
안선생님이 말씀하신 것처럼….
아무도 우리 북산의 승리를 기대하지 않는 건가…!
아

내가 뭐랬어요
그러워요!!
근엄하게

제2시합에 나올
산왕공업고와
북산고의 연습.
현재
제1시합
하프 타임.
와
와
와
와
와
와
난 30년 동안
산왕을
봐왔지만,
올해의 산왕은
정말 강해.
올해의
산왕에게
견줄 수 있는
팀이 몇이나
될까?
역시 관중의
대부분은 산왕을
보러왔다는
건가….
연습중인데도
이렇게
술렁거리
다니….
싸우기 전부터
분위기에
휩쓸리면
승산은
없다!
휩쓸리지
말자….
꽝
앗!
모두들
산왕의 위세에
압도당했어…!
…….
힐끗
힐끗

우와왓!
와
둥
둥
와아아
#220 싸우기 전

와
와아, 정말 빠르다!!
와
아
아
아
아
…………
아
흔한 동작 가지고 왜들 저래.
시끄러워 죽겠네.
쳇….
뭐야 저건..?!
와
아
아
라스트.
다다

콰앙
역시 멋지게 마무리 짓는군, 신현철!!
하핫!

삐—익
3분 전!
웅성 웅성
와 와
좋아, 연습 끝!
웅성 웅성
저…
떡판 고릴라가…!!
야!
……
백호야, 어서 나와!!
이미 승부는 시작됐다!!
찌릿
승부사 강백호! 미리 선수를 쳐둘 필요가 있겠군!
응?
웅성 웅성
웅성 웅성
뭐야, 저 빨강 머리는…?!
저 녀석, 뭐하려고 저러지?
엉…?
뭐야?
SHOHOKU
SANNOH BASKETBALL

거기서 잘 보고들 있어라, 산양 군단.
쿵
쿵
쿵
쟤, 왜 또 저러냐?!
내버려 둬요.
…………?
씨익

쿵쿵
볼을 쥔 채 달리고 있잖아?!
으으…
저 튀고 싶어 안달 난 녀석…!!
쿵쿵
우왓!
다다다
팍
야
하압!
얏?!

프…!

PRESS SEATS
プレス席
프리스로
라인에서….
점프했다?!

카앙
SHOHOKU
!!
SHOHOKU
……

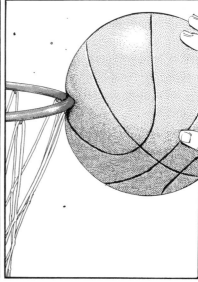

콰당
꾸엑!
우와아
아아아
실패했다—!!
우…
킥킥
아이고 창피해.
카하하하핫!
하하하
뭐야, 저 녀석은?!
와하하!
웃기느라 애썼다!
하하
질질질
부들
부들
부들
역효과만 났잖아…!
빌어먹을~

우성아, 너도 저기서 점프해서 링까지 닿을 수 있나?
웅
웅
웅
……
퍽
!!
억
바보 같은 놈!
그건… 무리죠
……
……
……
슥
……
헉
대기실
LOCKER ROOM
헉
……

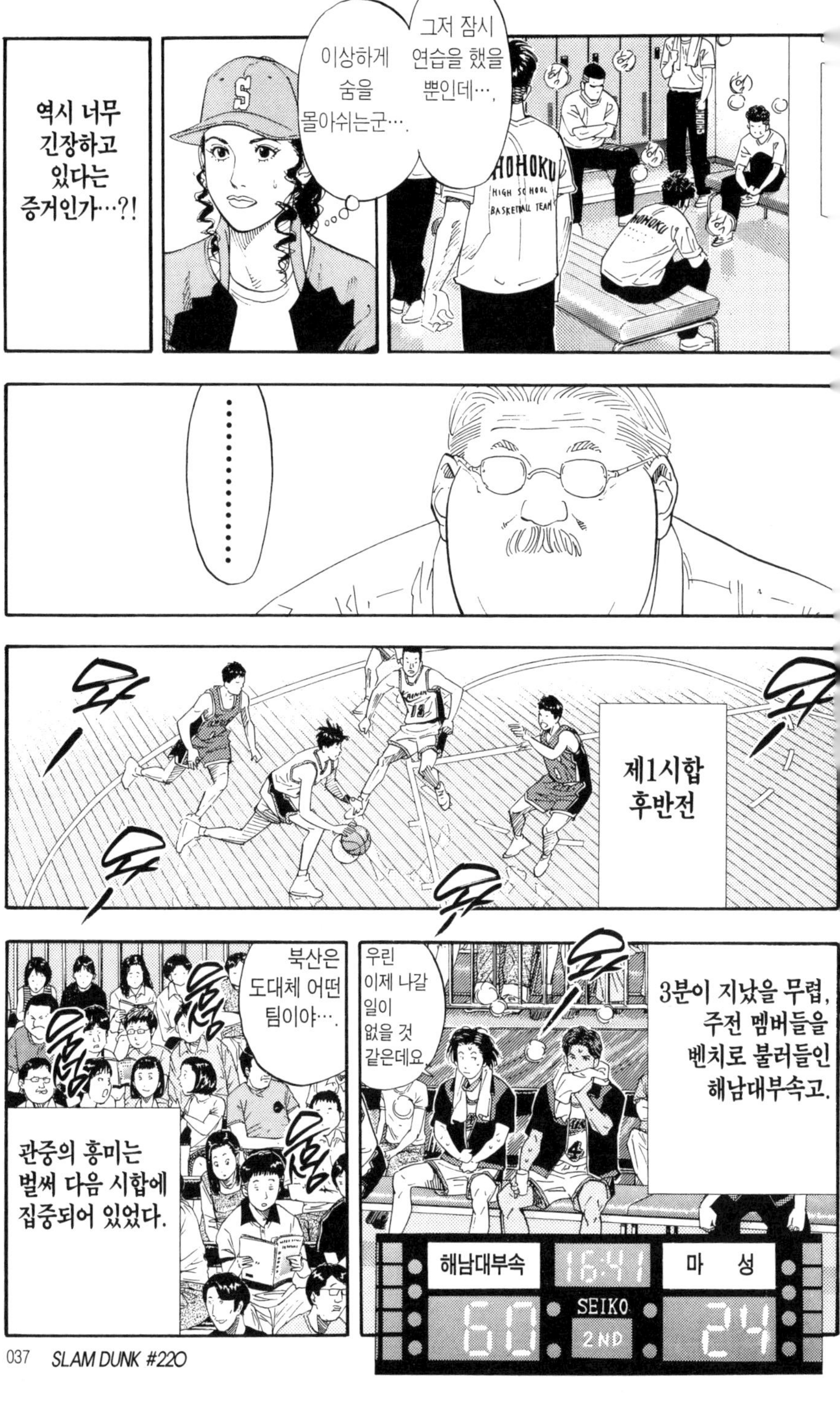
헉
그저 잠시 연습을 했을 뿐인데…,
이상하게 숨을 몰아쉬는군….
역시 너무 긴장하고 있다는 증거인가…?!
SHOHOKU HIGH SCHOOL BASKETBALL TEAM
……
제1시합 후반전
3분이 지났을 무렵, 주전 멤버들을 벤치로 불러들인 해남대부속고.
우린 이제 나갈 일이 없을 것 같은데요.
북산은 도대체 어떤 팀이야….
관중의 흥미는 벌써 다음 시합에 집중되어 있었다.
해남대부속
16:41
마 성
SEIKO
2ND
60
24

한편 다른 경기장 에선—
커다란 사건과 함께 제1시합이 끝났다.
와—
와
상성
0.0
명정
SEIKO
56
2ND
102
술렁
술렁
술렁
술렁
괴…
술렁
술렁
괴물이다….
저 녀석은… 괴물이야!
잠깐 질문 좀 하겠습니다!!
!!
멈칫
정말 16세인가요?!
농구를 시작한 건 언제….
와—
우르르
중2 여름….
뭐?!

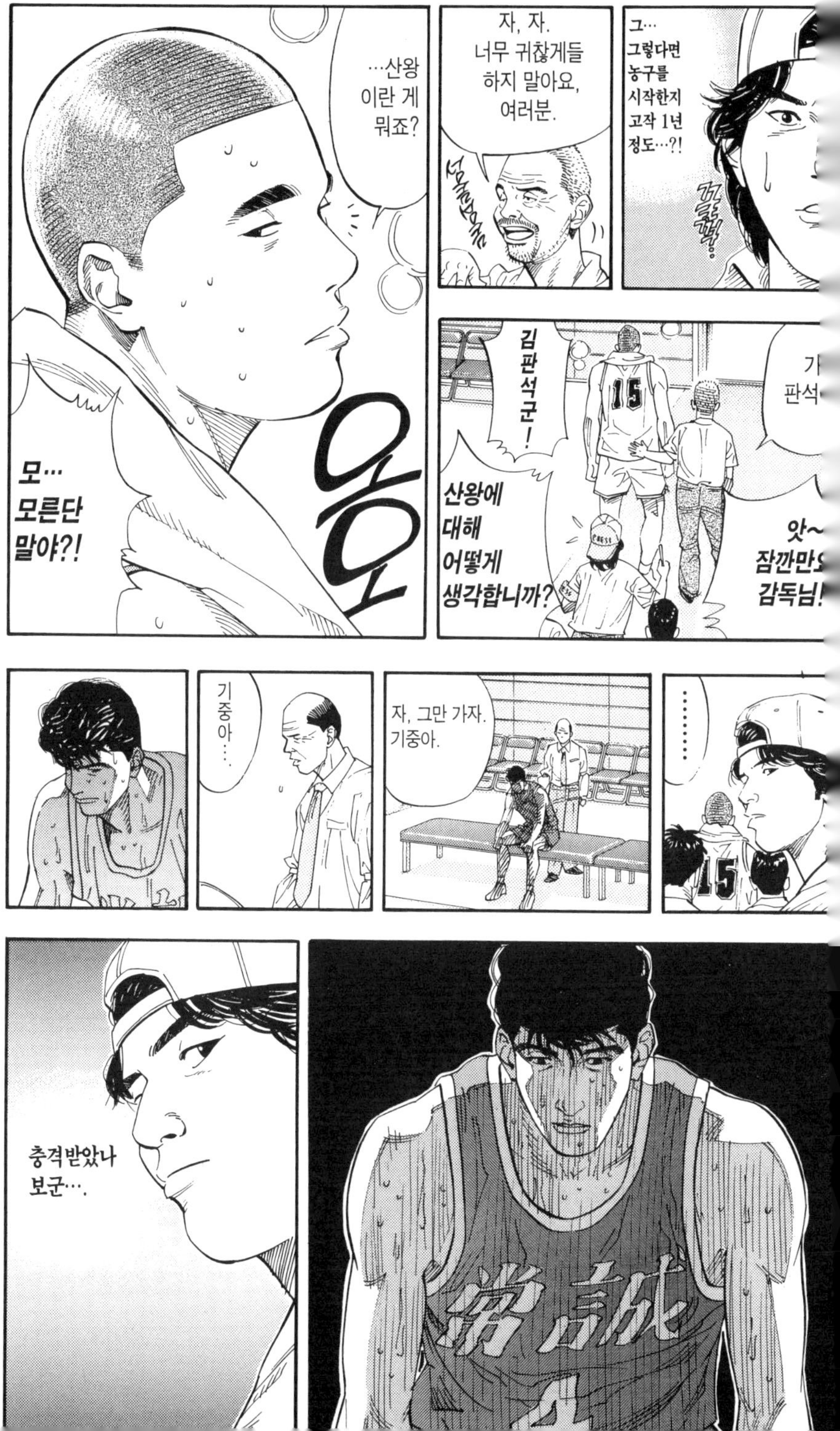
그… 그렇다면 농구를 시작한지 고작 1년 정도…?!
자, 자. 너무 귀찮게들 하지 말아요, 여러분.
…산왕 이란 게 뭐죠?
모… 모른단 말야?!
앗~
감독님!
김판석군!
산왕에 대해 어떻게 생각합니까?
……
자, 그만 가자. 기중아.
기중아….
충격받았나 보군….

50득점.
22
리바운드.
10블로킹.
이것이 바로
명정공업고
김판석의 데뷔전
기록이었다.
POCARI

헉
헉
헉
……
다닷
……!
선생님.
그렇게 덮어놓고 뛰면 시합 때 지쳐요.
헉
헉
태섭군.
움직이지 않고…
가만히 있으면…,
헉
헉
응? 어째서죠?
예…?
나쁜 생각만 떠올라서요….
헉
아니… 상대가….

난 PG(포인트가드) 대결에선 우리가 승산이 있다고 보는데….
예?
내게 승산이…?!
상대는 180cm로 확실히 커요….
하지만 지금 와서 뭘 그리 두려워하는 거죠?
스피드와 빠른 몸동작만큼은 절대 지지 않을 거라 생각하는데….
어릴 때부터 쭈욱~ 그랬잖아요.
자네가 그렇게 말하는 걸 보니 내 생각이 틀렸나 보군요….
아… 아뇨.
……
……
힐끔…

내게 승산이 있다…!
어디 가는 거지, 대만군?
대기실
LOCKER ROOM
변소 간다.
또냐?!
쳇…. 내 꼴이 한심하군…. 2년간의 공백기가 농구에 대한 자신감도 잃어버리게 만든 걸까….
젠장…!!
두둥
두둥
……
슥…

!?
SHOHO

아…
안선생님.
오, 대만군.
이런 곳에서 만나다니…
지금 산왕의 선발 멤버를 알았어요….
예?
그런데 SG(슈팅가드)만이 평소와 다르더군요.
내 상대만…?
어… 어째서죠?
나… 나오지 않아.
조금 전에 바로 볼일 봤는데, 나올 리가 없지.
오늘 나오는 선수는 김낙수라고 하는데…,
전국에서도 알아주는 수비 전문 선수라고 하더군요.
벌써 세 번째인걸…. 쳇!

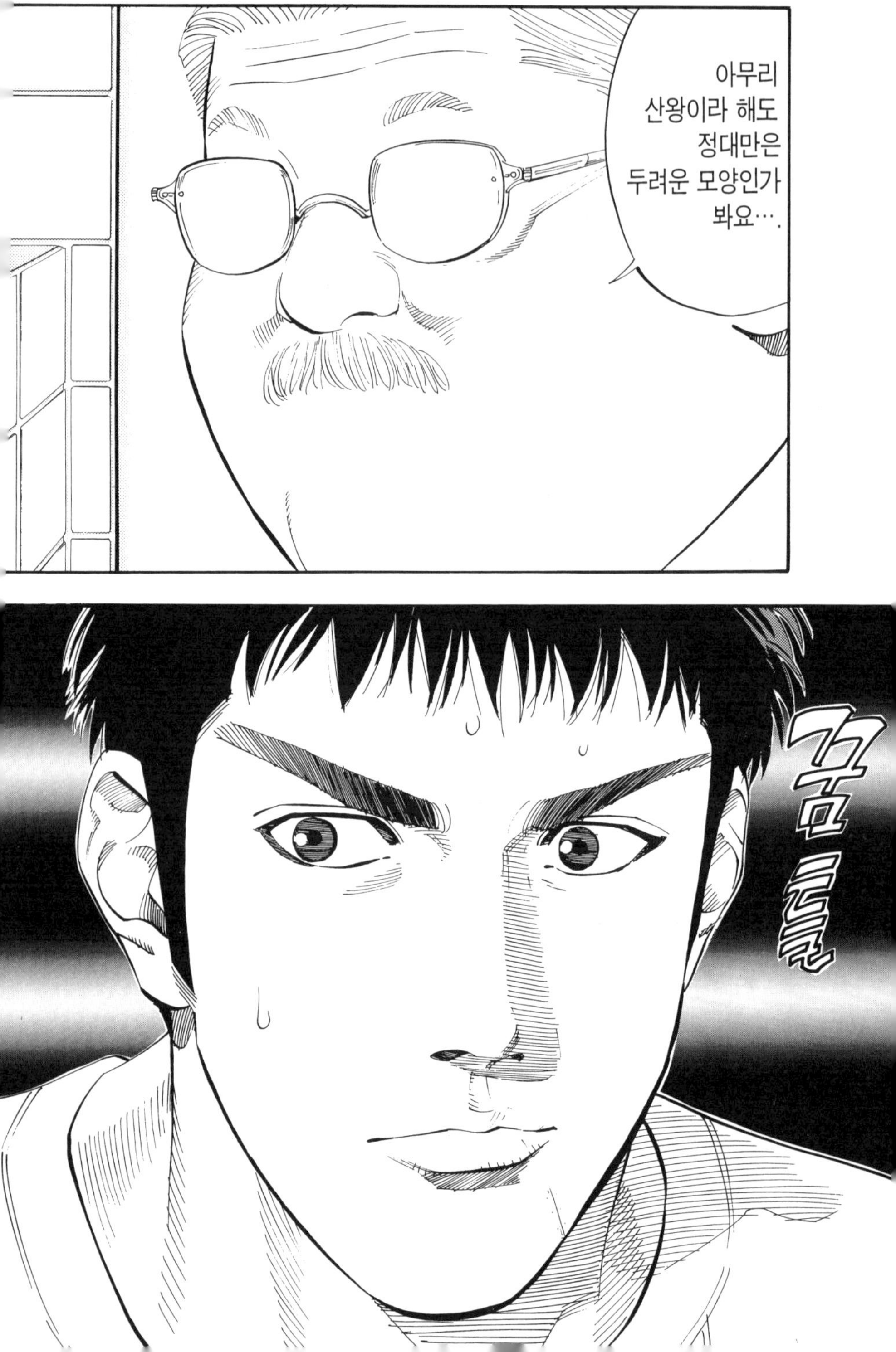
아무리
산왕이라 해도
정대만은
두려운 모양인가
봐요….
꿈틀

221 산왕을 빨리 보고 싶다

와아아아
해남!! 해남!!
해남대부속
8:24
마 성
SEIKO
74
2ND
38
나이스 슛!!
와
그래, 훼이크를 사용하면…
상대가 아무리 필사적으로 달려들어도 이 천재의 슛을 막을 수는 없을 거야.
훗.
슛하는 척 하다가 갑자기 드리블로 전환.
둥
특훈 슛!
SHOHOKU

드디어
필살기를
발명해버린
천재
강백호!!
이건 상당히
효과가
있겠어….
번-쩍
팍
앙
앗!
맞아!!
이걸 두 번
반복하는
더블
훼이크를….
훗.
훗.
그건 더블
드리블이에요.
윽…!
침착해
보이는군요,
백호군.
흥….
그 수많은 관중
앞에서 수치도
당했는데요, 뭘.
이제
무서운 건
아무것도
없어요!
영감님….

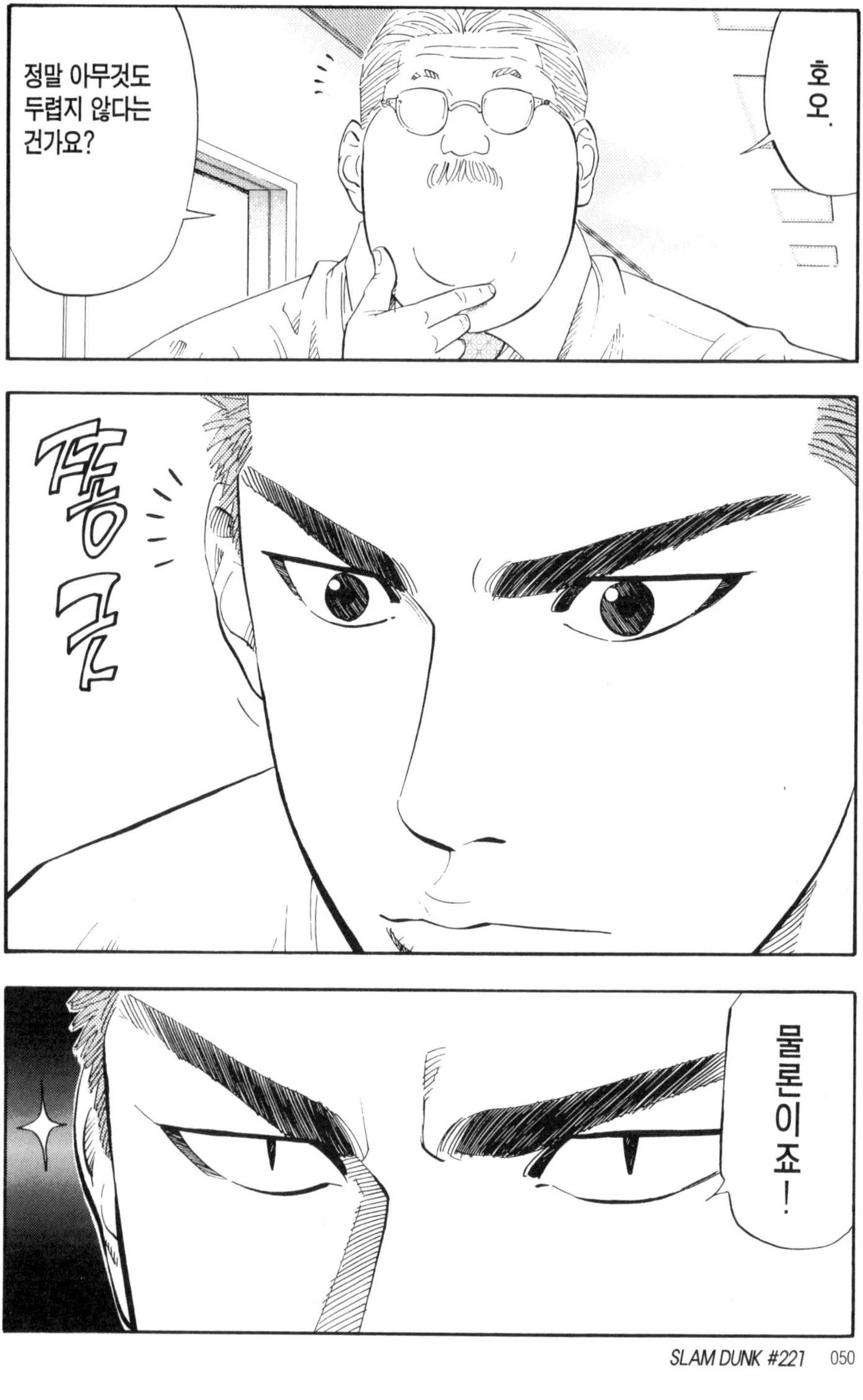
호오.
정말 아무것도 두렵지 않다는 건가요?
물론이죠!

술렁
점점 관중이 늘어나는데요.
꽉 찼네.
이제 깼냐?!
웅성
모두 다음 경기인 산왕—북산전을 보기 위해 모여드는군요.
아니…. 산왕을 보러 온 거야.
그런가요…?
STAFF ONLY

산왕을 빨리 보고 싶다.
2학년이 된 정우성이 얼마나 더 실력이 늘었을까? 정말 기대돼!
나도 정우성이 너무 좋아!
꺄아——!
누가 뭐래도 역시 신현철이지!
그 녀석의 플레이는 보기만 해도 속이 후련하다니까!!
이명헌이다.
언제나 이명헌의 좋은 패스가 있기 때문에 산왕의 플레이가 살아나는 거야.

산왕팬이 많은 것 같군요.
거의 대부분입니다.
흠~
후—
……
실실
실실
실실

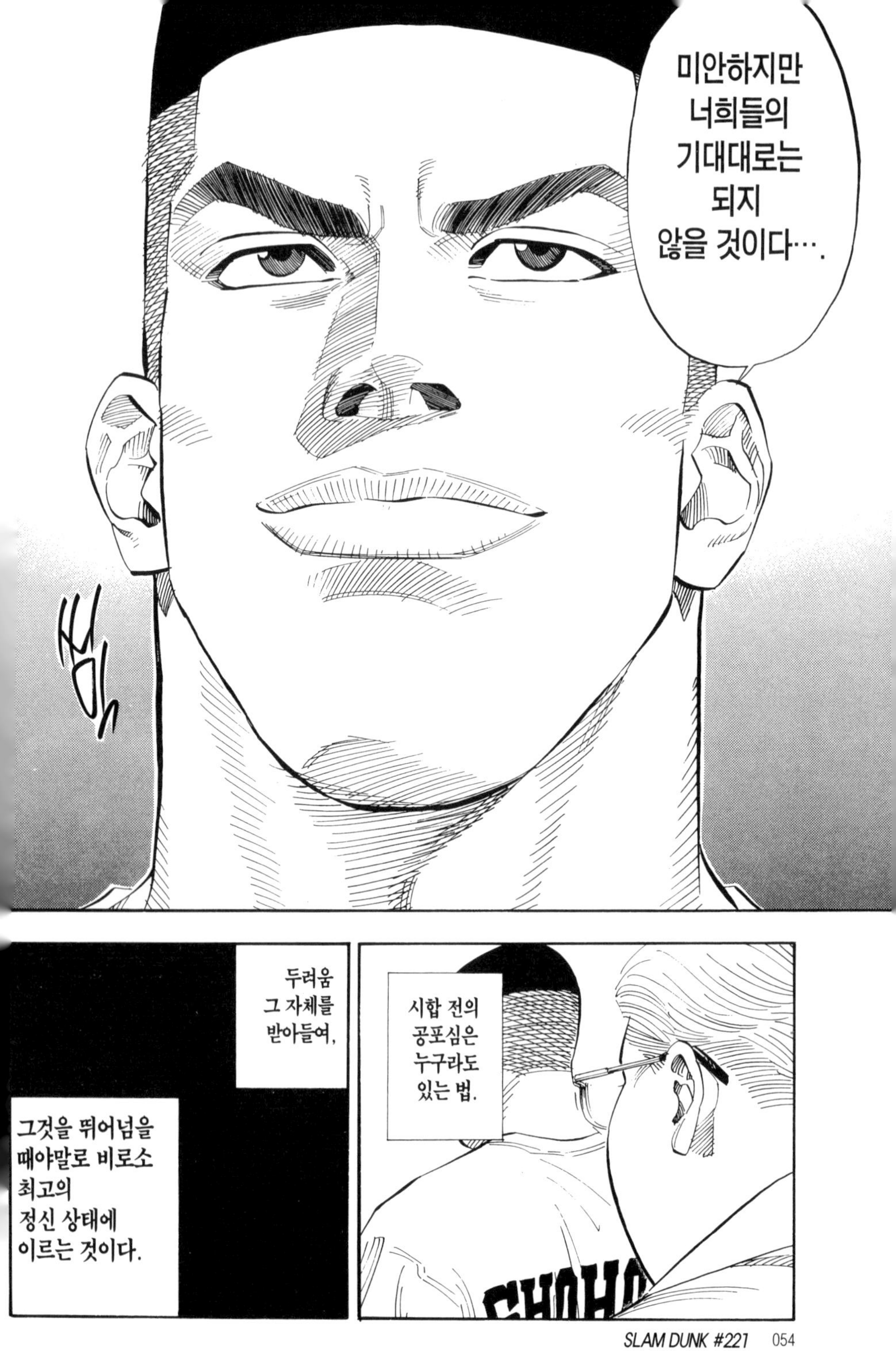
미안하지만 너희들의 기대대로는 되지 않을 것이다….
시합 전의 공포심은 누구라도 있는 법.
두려움 그 자체를 받아들여,
그것을 뛰어넘을 때야말로 비로소 최고의 정신 상태에 이르는 것이다.

빙긋
과연 치수군….
그걸 뛰어
넘었군요.
엉?
덜컥
이제 슬슬
나갈 시간이다.
준비는
됐냐!

씨이익
당연하지…
옛써!
!!
스윽…
응?
싱긋
……

부기가 가라앉았어…!!
도… 독약이 아니었군!
……
효과 좋은걸……
좋아….
어… 어쩐 일인지 모르겠지만, 모두들 들뜬 상태는 극복한 것 같아요!
다들 투지를 불태우고 있어…!!
……
SHOHOKU
이거 이거~!!
앉을 데가 없잖아!
왜 이렇게 사람들이 많지?!
Ta.

와
역시…!
모두 산왕을 보러 온 거야…!!
와
와
와
산왕이다!
나왔다!
와
이렇게 많은 사람들 앞에서 시합하는구나….
앗!
와
무슨 일이야?!
와아아
와
오…. 역시 해남이군….
정우성!!
신현철!
와
야
야
야
야
야
압승이야.
해남대부속
3:10
마 성
92
SEIKO
2ND
47
와
와
와

와아
그저 입장했을 뿐인데….
엄청난 인기구나….
빌어먹을 우리가 아직 시합중인데….
북산 녀석들이 이겼으면 좋겠어.
무리겠지만…
녀석들, 아까 보니 많이 긴장한 것 같던데….
척
모두 느꼈지…?
관중의 90%는 산왕팬이다.
척
그렇담 우리들이 악당이 되는 셈인가?
척
재미있군.

악당
출현!

오, 나타났다.
…극복했는가….
………!!
흐음, 이제 드디어 스타트라인에 섰군.
실력에서 뒤떨어지는 건 변함없지만…. 힘껏 부딪쳐 봐라.
삐—
와
좋아~! 다음 시합도 이 기세로 가자!!
해남대부속
104 (50-20 54-29) 49
마 성

좋아, 산왕보다 먼저 코트에 들어가자!
으랏차!!
앗!!
북산이다!!
산왕—!!
부탁한다!
기다렸다!!
정우성!
신현철!
산왕—!

북산—
파이팅!
SHOHOKU
와아앗!
윽!
투지가 보통이 아닌걸….

꺼져라ㅡ
저것 들이?!
살아서 돌아갈 생각 마.
오오, 잘한다 악당

#222 최대의 도전

우오ー!
에이!
오우!
에이!
북산이 엄청나게 소리를 지르네.
응.
투지가 대단해!!
좋아, 잘한다!
아냐, 그런 게 아냐….
이렇게 소리라도 지르지 않으면 이 분위기에 눌릴 것 같아서….

산왕—!
정우성!
우와
아
아
……
산왕이다….
진짜 산왕이다….
아
아
아

가…
강해 보인다….
우오—!
와
와
에이!
오우!
에이!
흥!!
그래, 내가 유리해…!!
날 겁내고 있는 녀석들 쯤이야…!
……
……

……
백호야!
물끄럼~
상대한테 너무 신경 쓰지 마.
원래 시합 전에는 상대가 강해 보이는 법이라구.
정말 강할 것 같다….
흡.
흡.
백호야?
!

다
닷
어?!
패―스!
두두두두

으랏차!
SHOHOKU
SAN
BASKET
강백호!

크앗!!
SHOHOKU
HIGH SCHOOL
BASKETBALL TEAM
SHOHOKU

해…
해냈다!!

쿠우웅
우와아아아아아
오오옷!
공장해!
어라, 잠깐! 상대팀이잖아!
도대체 무슨 짓을 한 거야!
아
아
꽤…
발칙한 녀석이 있군….
그럭
그럭
너, 빨강 원숭이!
넌 매너라는 것도 모르나!!
어떡해서든 튀고 싶어 안달 난 녀석!
SHINTAI UNIV.
SHOHOKU
슥…

와
아
아
인사 대신이다!
아
아

……!!
……
……
SANNOH
SHOHOKU

와아
우와아! 뭐야, 저 녀석들은…?
저벅 저벅
아
아
아
끄덕
!!
왜지 굉장해!
와아,
멋지게 성공시켰군.
백호야…!!
아
아
인사하고 와라.
…………
아
아
우성아.
!

SHOHOKU
앗!!
SHOHOKU
HIGH SCHOOL

아얏?!
정우성!!

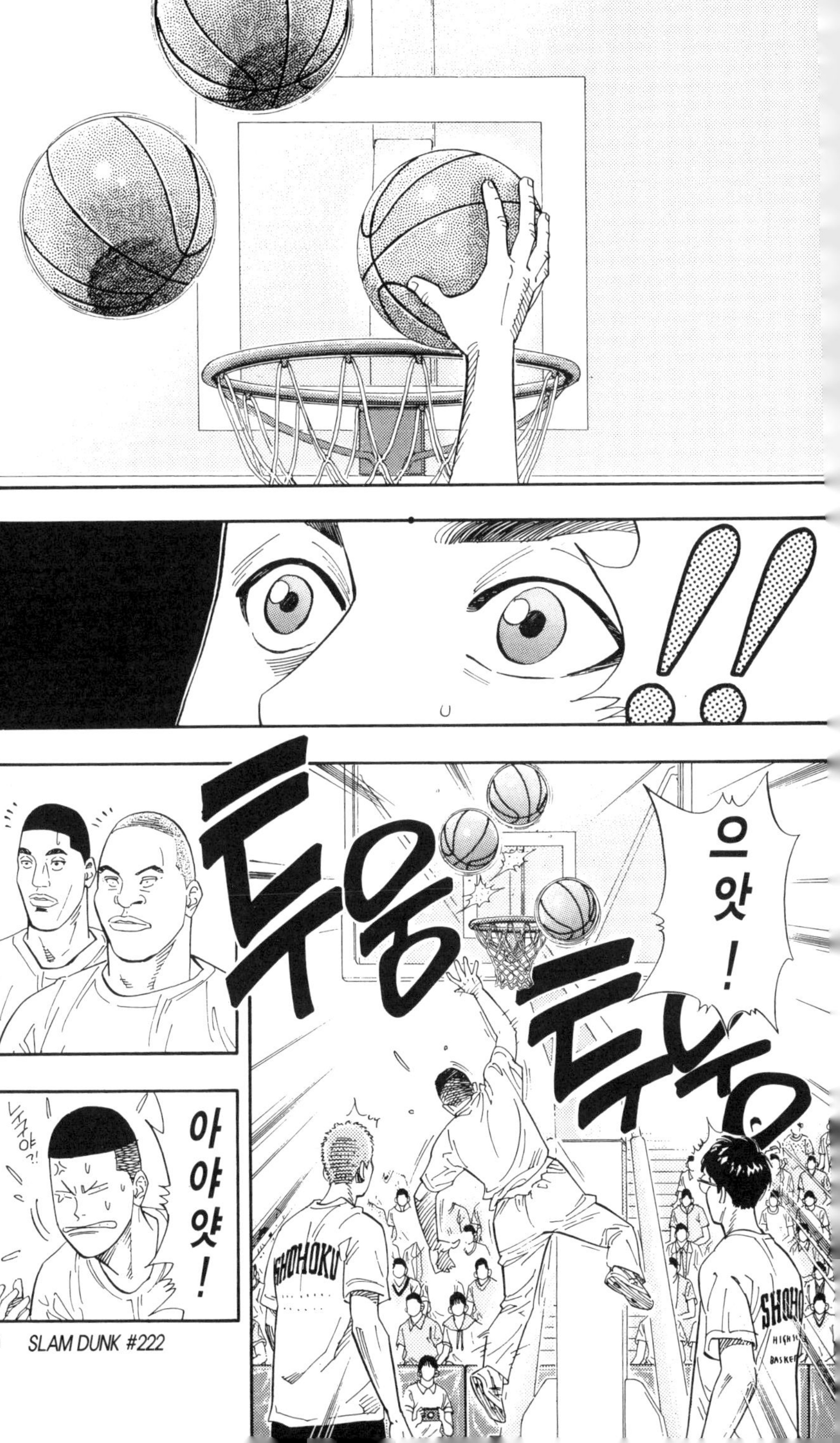
두웅
두웅
으앗!
아야얏!
누구야?!

흥!
········
괜찮을까…
지금부터
산왕공업고 대—

와아아아아
북산고의 시합을 시작하겠습니다.
채치수가 이끄는 북산 농구부…
최대의 도전이 지금 시작되려 하고 있다.

스윽
읏
헉
스윽
UKAWA
LOVE

북산—
빨강
유니폼.
산왕—
흰 유니폼.
우와—!
힘내라, 북산!
플레이! 플레이!
파이팅! 신현철!
신현철!
신현철!

#223 '기습'

신현철!
자, 준비!
신현철!
신현철!
신현철!

해남대부속고
지학고
대영고
'타도 산왕'이 최종 목표인 바스켓맨들.
이들 모두는 정보수집을 겸해 이번 시합을 관람하고 있다.
山王工高

이번 상대는
고교농구의
절대 강자 산왕.
게다가 그들은
모든 농구팬들의
영웅!!
신현철!
와아아
신현철!
아아
신현철!
와아아
이런 상황에서도
우리 선수들은
오히려 침착해졌고,
눈빛은 투지로
타오르고 있어!
이게 어찌된 일이지?

우웃!!
오우!!

에잇!
핫!
잡았다!

와아
좋았어!
와아
찌릿
으르릉!
백호야, 여기!
역시 문제아 군단. 악역에 딱이야…!!
벤치가 그런 신뢰를 느낄 정도로,
와!
와!
와!
북산 선수들은 강한 정신력으로 이 경기에 임하고 있었다.
그것은 바로….
………
산왕과 싸운다는 심리적인 부담감을 어느 정도 극복했다는 걸 의미한다.
흠….
북산은 산왕의 명성에 별로 주눅들지 않은 것 같군.
SHINTAI UNIV. BASKETBALL

!
와—
와—
끼익
와—
디—펜스!
디—펜스!
이명헌!!
디—펜스!!
모두가 산왕을 응원하잖아!
디펜스!
제길!!

드
웅
절대로 소극적으로 나가면 안 돼요.
먼저 강하게 제압해야만 해요.
공격적으로 나가요.
소극적인 플레이를 펼치다간, 산왕의 기세가 걷잡을 수 없이 오르게 돼요.

먼저 제압해라!
지금껏 그들이 싸워온 팀과는 다르다는 생각을 심어주는 게 중요해요.
'북산은 뭔가 달라'
'조심하자,'
그런 생각이 쌓이고 쌓이면 결정적인 순간에 유리해지죠.
우선은 선제공격.

터억
자네들이 기습공격의 선봉장이 되는 거예요.
……!!
우우
꿀꺽…
……
기습공격…
백호야, 산왕 녀석들에게 우리가 만만치 않다는 사실을 깨닫게 해주자!
날 잘 보고 있어.

내가
사인을
보낼게!
……
사인……
툭
……
마치 1점차
승부처인 것 마냥
굉장한 압박을
가해오고 있어!!
이명헌….
이놈의 수비는
물샐 틈 없이
완벽해!!

게다가 지금 골밑에는 신현철이 눈을 번득이고 있고…
이러면 속공작전을 펼치기 힘들겠는걸.
어떡하나….
한 골 넣자!
자, 침착하게…!
호호….
잘 하고 있군요….
어?!

아앗?!
제길!
날
얕보지 마!
우와

다닷
이익!
빠르다!
낙수야!
앗!

강백호!
응?!
!!

아앗?!
끼

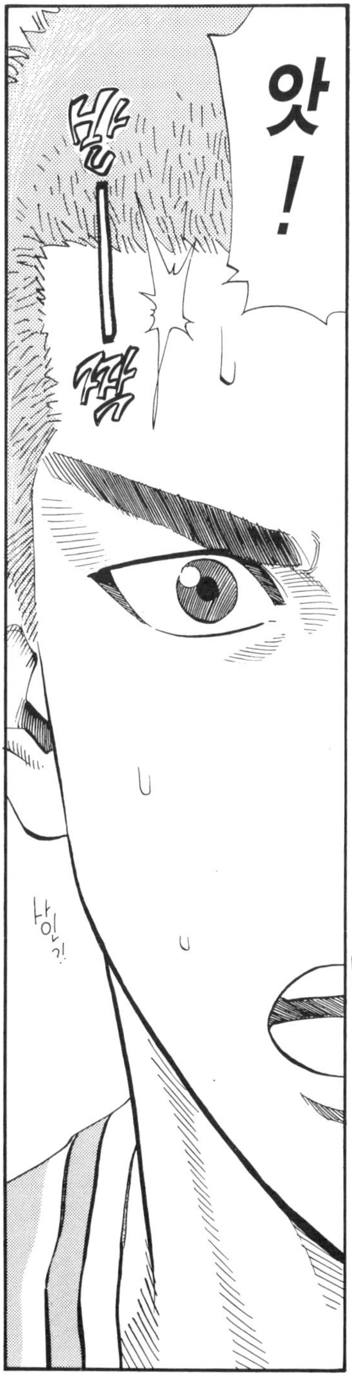
앗!
번-쩍
나인?!

휘익
북산
19:44
산왕공업
SEIKO
1ST
28

'기습
공격'
이다!!
꽈
악

무서워요…
찌…익
찌익…
사삭
사삭

꽈악
간다!..
꽈악
맡겨둬~..
천재?

휙
回全国高等学校バスケ
북 산

앨리웁?!
#224 천재?

웃기지 마라, 빨강 원숭이!!
넌 100만년은 더 연습해야 돼!!
슈욱
성구야!
오우!
山王工高

콰
야
10
山王工高
4
SHOHOKU
4

山王工高
5

19:43
SEIKO
1ST
MONGER
45
SPENCER DAVIS GROUP
7
9

SHOHOKU

우와아앗!
우오오오
……
말도 안 돼!
와아아
우와아! 강백호!
송태섭!
믿을 수 없어!!
……

콰악
와아
아아
아
우리들은…
……
씨—익
역시나…!
천재?

좋아, '기습공격' 은 성공했다!!
우연이라 할지라도…!
우린 할 수 있어!
절대 우연이다.
그러니까 이길수 있어.
으음.
오늘은 재수가 좋군!!
SHOHOKU 11
SHOHOKU 4
SHOHOKU 14
그렇죠? 역시 저건 우연 이었다구요!
역시!
다시 해보라고 하면 못할 거다.
저 녀석들은 뭐야?
북산의 '기습공격' 은 산왕을 보러 왔던 관중들을 놀라게 했다!!
강한 팀인가…?
아직 함성이 가시지 않은 코트위에서….

이명헌은
전혀
동요되지
않았다.
같은 2점
이다용.
......!!
!!

북 산
19:32
산왕공업
SEIKO
2
1ST
2
두 팀은 한골씩을
성공시키
동점을 이루었다
나이스 슛!
잘한다, 이명헌!
……
저 앨리웁으로 산왕이 이번 시합은 평상시 시합과는 전혀 다르게 생각할 거라 예상했는데…
이명헌은 역시 특별하군요.
흠…
좋아, 디펜스!!
오우!!

와아
어째서 산왕만 응원하냔 말야?
에잇! 시끄러! 뭐야, 이 인간들!
우리도 [illegible] 보고만 [illegible] 수 없지.
디펜스!
와
팡팡
디펜스!
와아
아아
하나둘 ….
뭐 … 뭐야?!
공격~!!
서태웅!
오펜스!
오펜스!
공격~!!
오펜스!
왓
와아
몹시 흥분한 북산 응원석에 비해,
코트 위의 북산 베스트 5는 약간의 흥분상태에서 경기에 임하고 있었다.
너무 달아오르지도 않고, 너무 냉정하지도 않은…. 이럴 때 멋진 플레이가 탄생되는 것이다.

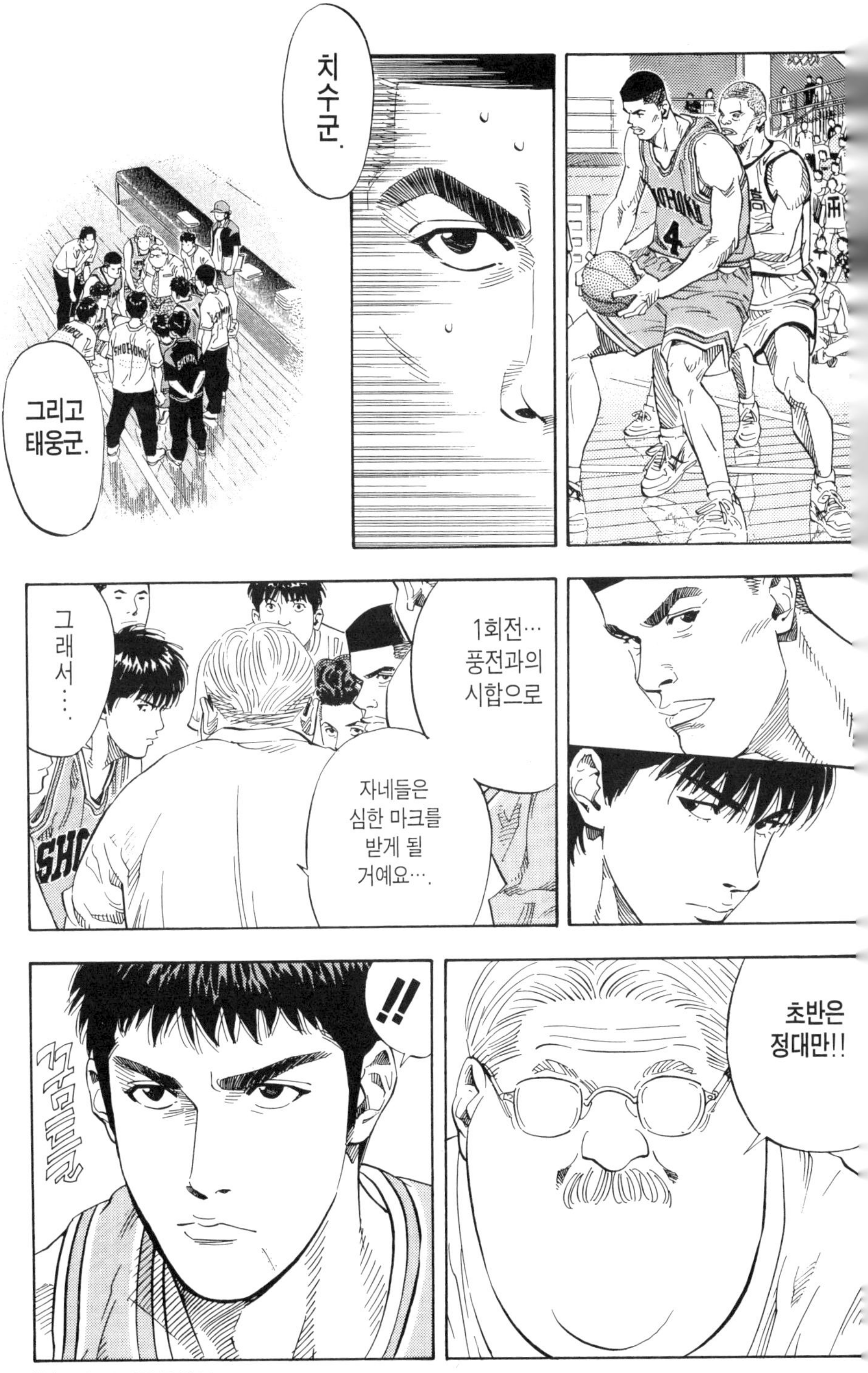
치수군.
그리고 태웅군.
1회전… 풍전과의 시합으로
자네들은 심한 마크를 받게 될 거예요….
그래서….
초반은 정대만!!
!!

!!
SHOHOKU

척
철썩
!!
들어갔다!
느낌이 좋아!
와아아
와~오!
아아앗~!!
대만아~앙~!!

나이스 슛,
정대만!
북 산
19:07
산왕공업
5
SEIKO
1ST
2
와아아아
파이팅,
정대만!!
우왓
!!
어라?
아앗?!

북 산
19:03
산왕공업
SEIKO
5
1ST
4
와
아
아
탁
교활한 놈 같으니….
침착해!! 상대는 공수전환이 뛰어나. 빨리 백코트를 해야 돼!
아
아
아
오케이….
하지만 오늘의 정대만은 최상이다…, 산왕!
꽉
꽉

SLAM
슬램덩크 완전판 프리미엄
DUNK

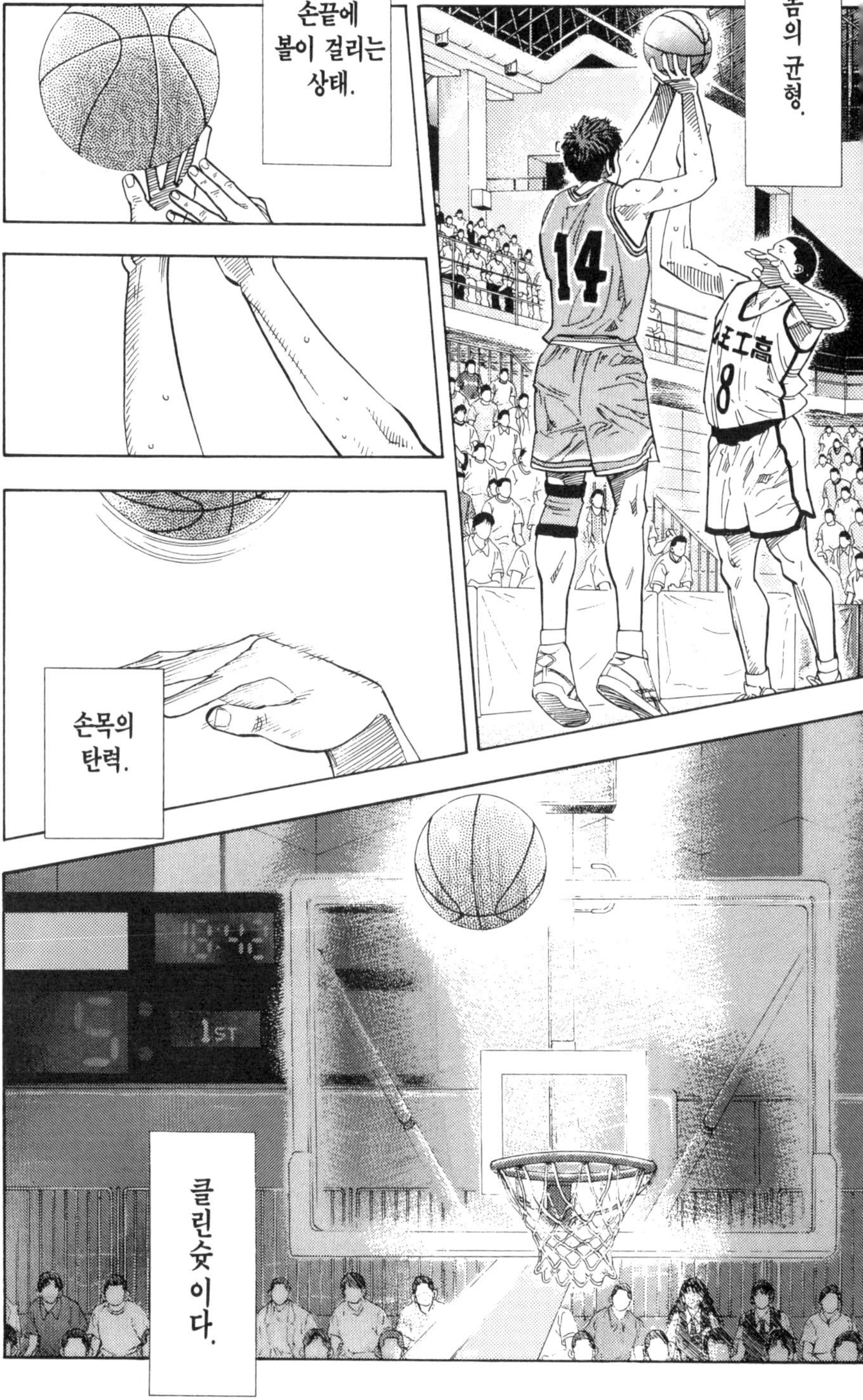
몸의 균형.
손끝에 볼이 걸리는 상태.
손목의 탄력.
1ST
클린슛 이다.

실패라는
느낌은
전혀 없다.
SHOHOKU
14
#225 슈터

!!
아앗?!
!
좋았어!
!
산
8
18:40
SEIKO
1ST
산왕공업
4
정대만!
나이스 슛!
돌아와!
어서 백코트해!
……

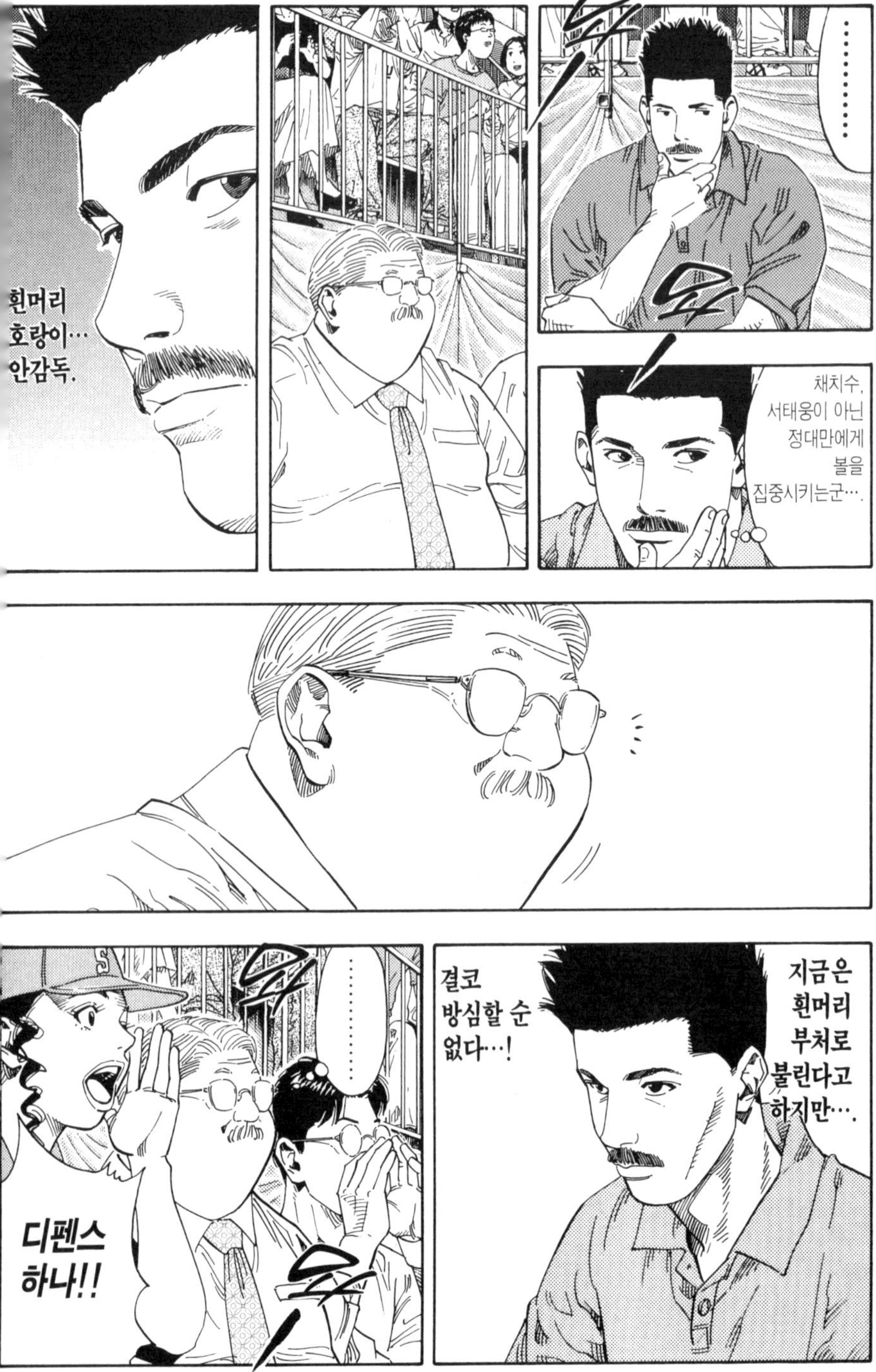
흰머리
호랑이…
안감독.
와
……
와
채치수,
서태웅이 아닌
정대만에게
볼을
집중시키는군….
와
……
디펜스
하나!!
와
지금은
흰머리
부처로
불린다고
하지만….
결코
방심할 순
없다…!

정우성!
터어억
욱!
또!!
으잉?
에이스라서 함성이…?

이명헌
포스트 업!!
신장차
공격인가!
그렇겐
안 돼!
!!

!!
앗!!

나이스.
나이스 신현철!!
나이스 패스 이명헌!!
산왕공업 6 1ST HALF
북 산 8 18:30
시야가 넓어!!
과연… 이명헌이야.
좋아, 디펜스다!!
북산 14번의 외곽 슛을 막아라!
자아, 이제 슬슬 산왕의 페이슨가?!
우오오오
오케이!

통
볼—!
!!

!!
HOKU

좋아,
리바운드!!
아…!
욱!
턱
억
웃!
콰
악
정대만이 산왕의 디펜스에 부딪혀 조급해졌나 보군.

철
썩
!!
아?!

와아아아~앗!!
우와아아
3연속 3점슛—?!
누구냐, 저 14번은 …?!
산왕공업 6 1ST HALF
북 산 11 18:10
두두두두
이 인간이 미쳤나? 쏘는 거마다 다 들어가잖아!!
웬일이래?!
그러게 말야!
시끄럿! 어서 수비 위치로 돌아가기나 해!

괴…….
굉장한데….
정대만…. 3점슛에 상당히 자신이 있군….
전혀 흔들림이 없어.
빠르다!
슛동작이 굉장히 빨라.
그럼에도 불구하고 쏘는 족족 들어가고 있어!
신장 차이가 있어 오히려 자신감을 갖고 쏘는 걸지도….
좀더 압박을 가하자.
나이스 정대만!!
플레이, 플레이! 정대만!!

중학교 MVP 따냈을 지금보다 굉장했나요
그럼 정말 굉장한 선수였겠군요…!!
아니…. 그렇게 생각하고 있는 건 본인뿐이야.
…후회가 깊은 만큼 녀석은….
과거를 미화시켜 지금의 자신을 채찍질하고 있는 거야….
……
아!!

와아아아
산왕공업 8 1ST HALF
북 산 11 18:03
이놈이!
끄응…
후…
나이스 정성구!!
괜찮아! 지금은 어쩔 수 없었다! 잊어버려!
가자, 강백호!
끄응…
으윽!
대만군은….
자신의 중요성을 믿지 못했어요….
아니, 복귀 당시엔 믿고 있었을지 모르지만….
공백의 부담을 느낄 때마다 자신을 믿을 수 없게 된 게 아닐까요….
!
끼익
끼익

오옷!! 몸싸움이 격렬한데!!
저 상태론 도저히 슛할 수 없겠어!!
우웃…. 굉장한 마크군!
과연 전국 톱클래스의 수비 전문 선수?!
김낙수!
나왔다! 김낙수의 철벽 디펜스!!
…그러나 이제 조금씩 자신을 믿기 시작했어요….

!!
이야압!
!!

지금의 대만군은 이미 그 공백을 충분히 뛰어넘을 만큼의 위치에 서있어요.
!!
탁
나이스 패스!!
악

지금
이 순간을
불태워라,
대만아-

예상 밖의 호조
나이스
패스!!

#226 예상 밖의 호조
SLAM DUNK
SHOHOKU
4

우호!!
콰
!!!

우와~아아앗!
우와아아아아
......
끝내주는 덩크슛이다!
아직도 백보드가 흔들리고 있어!
고릴라!
더어어~엉크!!
나중에 두들겨 맞아도 좋아! 외쳐라!!
고릴라 파이팅!
마 마 마

—!!
꽉
싱긋
……

꾸욱
꾹
……
정대만!
웃샤, 나이스 패스!
채치수!
와—
웅
오우!
정대만!
와—

와아아아
……
좋았어!
디펜스 하나!
와아아아
헉
이 녀석!
난 이긴다!!
채치수!!
정대만!!
이 두 사람이 있는 팀이라면…. 정말 전국대회도 꿈이 아닐지 몰라…!
좋아! 3년간 열심히 뛸 테다!!
준호야, 너 안 뛰고 뭐해!
3년간…
열심히 뛸 거야!!

파이팅! 북산!
좋아, 수비다!
한 개만 막아내자!
으랏차!
감히 고릴라 같은 낯짝으로 어딜….
저 녀석 주먹코를 납작하게 해줄 테다!
명현아, 내게 패스해라.

휙
철
썩
앗
!!
아니?!
산왕공업 10 1ST HALF
북 산 13 17:30
저 녀석! 저 거리에서 슛을 쏘다니….
SF (스몰포워드)까지 소화해 낸다고 했잖아!
맞아, 그랬지.
이 녀석….
……
우호!
불끈
!
신현철!!
나이스 슛, 신현철!!
신현철!

이제 산왕의 플레이가 슬슬 풀리는 건가?
산왕 폭발!
이제 시작되는 건가?
벌써 3분이 지났다…. 여기까지 북산이 3점 리드라….
상당히 잘하고 있군. 지금까진 정대만이 주축이 돼서….
실력 이상이야. 실력 이상.
디펜스!
정대만….
좋아! 한 골 넣자!
좋은 선수다.
생각했던 것보다 훨씬…. 하지만….
난 교내 마라톤에서 육상부 녀석들에게도 진 적이 없다.
……
시험 중에 심하게 배가 아팠을 때도…
……
기절할 때까지 참았다.
그때 난 급성맹장염이었다.

명헌이도, 현철이도, 성구도, 우성이도 예전에 합숙소에서 도망친 경험이 있다.
혹독한 훈련을 참다 참다 못해서….
…하지만 난 아니다.
단 한번도!
참을성의 왕자, 김낙수.
?
쉽게 포기하는 남자, 정대만.
좋아! 내가 얼마나 압박수비를 가할 수 있을지….
정대만, 네가 내 수비를 얼마나 견딜 수 있는지— 정신적으로도 육체적으로도
SEIKO
승부다.
견딜 수 없게 될 때까지 찰싹 달라붙어 다니마, …정대만!

와아야야
오옷?!
굉장히…
끼익
끼익
격렬한 수비잖아!
……!!
우와!
볼조차 잡지 못하게 할 셈이냐.
역시 상당히 두려워하고 있군 …!
이 몸을!
흥! 그렇게 날뛰다간 네가 먼저 나자빠질걸!
쳇!
인내…!
날 뿌리칠 수 있으면 어디 한번 해봐라!

와!
좋아….
잘 한다,
낙수야!
와!
이렇게 되면 대만 선배에게 볼을 줄 수 없겠어!!
초반은 정대만!!
어쩔 수 없이 작전변경이다.
그러나 산왕의 모든 선수들이 격렬한 디펜스를 하고 있다.
와!
디펜스!
디펜스!
와!
마치 공격하듯이….
앞으로 앞으로 압력을 가하고 있다!!

파앗
!!
앗!
山王工高
4
SHOHOKU
7

우왓!
나이스 플레이!!
위험했어!
으랏!
그대로 슛하는 건가?!

슈웅
!!
웃!

타앗!
파
앙!!

퍼어
욱?!
……
휘잉―
캉
쿠―웅
―!!

!!
쾅
쑤욱
우와 !! 아아아
우왓!!
뭐야, 저게?!
북 산
17:14
산왕공업
SEIKO
15
1ST
10
아아아

……
씨익
봤느냐……
……!?
내가 노렸던 대로다!
안면슛!
#227 노렸던 대로

뭣이~!!
와아아아아아
그리고….
상대의 블로킹을 완전히 계산한 어시스트….
모두 노렸던 대로다!
!!
역시 천재?
노렸었다구…?!
정말일까?!

덫에 걸려 버렸구나!!
나이스, 안면 숏!!
와하하핫!
백호야, 코피난다!!
윽…! 저놈들…!
강백호, 지혈을 위해 잠시 벤치로.
속지 마라, 9번!
그런가….
시끄럿! 용팔이, 너 죽을래!
……
노리고 했을 리가 없어….
당연하잖아, 멍청이.
멍청이라구….
……

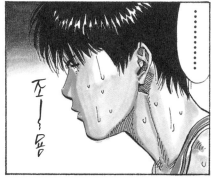

지금 게임의 흐름은 북산쪽이야. 운도 따르고 말야. 오늘은…
어쩌면…
어쩌면 전국대회 3연패를 한 산왕에게…
……
……
이길…
……
!?
안 돼! 그 말은!!
이상하게 의식하면 더 안 되더라.
지금은 마음을 비우고 도전해야만 하니까…!
자아, 힘내자!
디펜스-!

콰
우욱?!
약
병욱아!
……
뭐야, 이 녀석의 파워와 위압감은…!
힘으로 좋은 포지션을 빼앗고 있잖아!!
……
이 녀석은 전혀 경계할 필요 없겠어.
빌어먹을! 포지션을 지킬 수가 없어!!
……

좋아,
교체다!!
피는
멈췄다!
!
관중들이 드디어 나의 진가를 파악했나 보군.
바로 이 반응이야.
그게 아냐!!

정우성과 서태웅의 1대1 승부!
오늘 처음이다!!
……
눈을 떼지 마라!
관중들의 모든 눈이 일제히…!
과연 고교 농구 최고의 영웅… 정우성!!

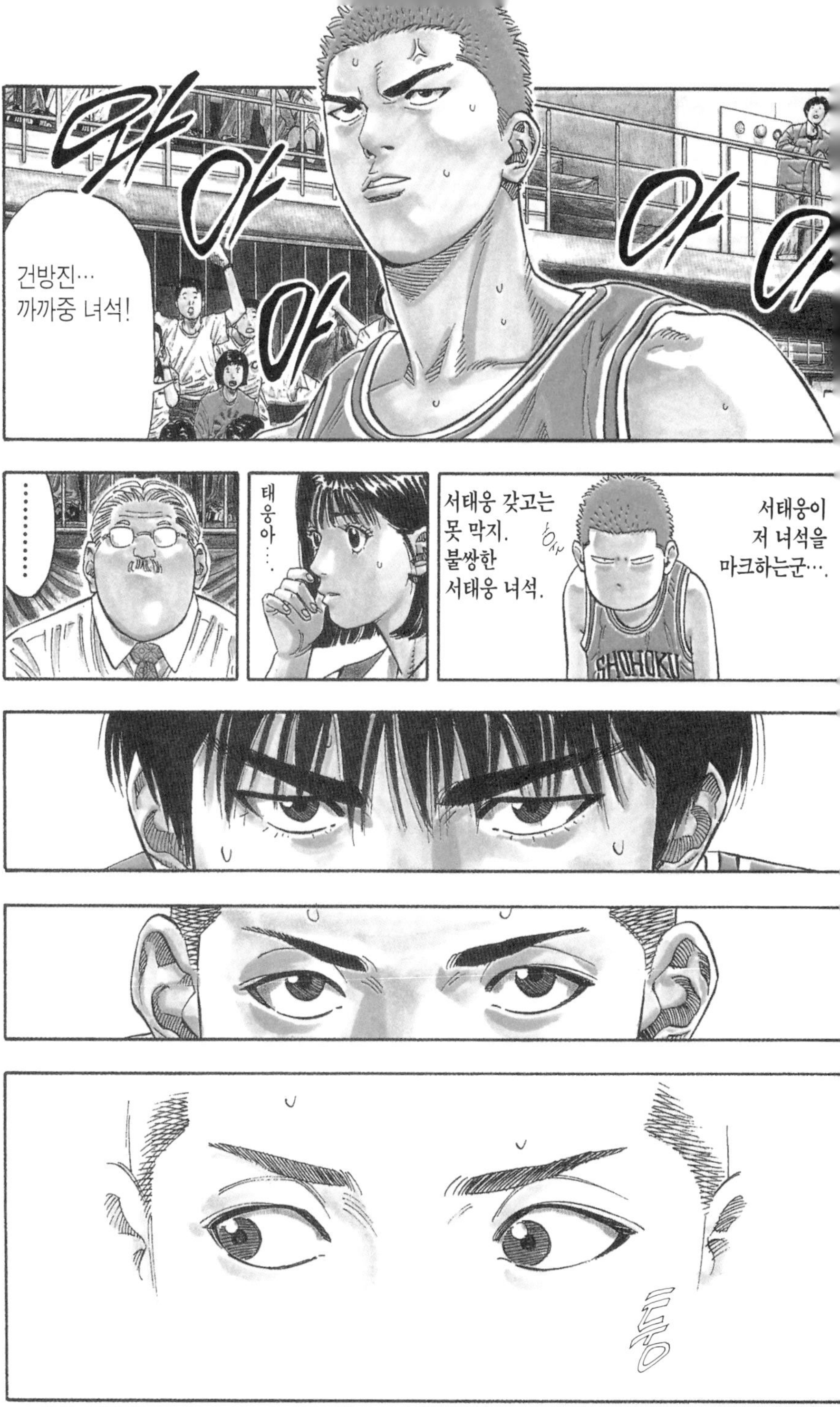
와아아
건방진…
까까중 녀석!
아아아
……
태웅아….
서태웅이
저 녀석을
마크하는군….
서태웅 갖고는
못 막지.
불쌍한
서태웅 녀석.
SHOHOKU
등

아!
全国高等学校バスケットボー

!!
SHOHOKU
10
SHOHOKU GIRL

……!!
……!!
우와아아아
빠…
빠르다!
그것 봐라!!
와하하 하하
쿵
쿵
서태웅으론
무리라니깐!
아—앗!
태웅아!
저렇게
날카로운
드라이브
인을 해내는
녀석은
우리나라에
우성이밖에
없을걸….

교체입니다!!
수고!
뭐야, 빨강 원숭이!
빠!
우!
크악!
오.
나왔느냐, 빨강 원숭이!!
물러가라!!
빨강 원숭이!
우리편에게조차 야유를 받다니!
북 산
16:52
산왕공업
SEIKO
15
1ST
12
……!!
아주 짧은 시간이었는데 이렇게 힘들어 하다니…?!
저 5번….
밀어도 꿈쩍도 안 해….
오히려 내 스스로 점점 밀려나서 녀석에게 포지션을 빼앗기고 말았어.
이렇게 되면 포지션 싸움만으로도 체력을 다 소모하고 말아….

…………!!
백호는 정말 엄청난 녀석을 상대로 하고 있는 거야….
헉
헉
헉
자, 간다!
오너라, 빨강 원숭이!
하지만… 아무리 백호라도 저 5번을 상대로 40분을 버틸 수 있을까…?
헉
헉
디펜스!
디펜스!

헤헤…….
저 녀석도 슬슬 불붙기 시작했나 보군.
그래.
당하고는 못살겠지, 서태웅!
화르르
패스 패스 패스 패스
타악
!!
11번이다!!
저 녀석, 풍전과의 대전에서 활약했던 녀석이잖아!!
아직 1학년인데!
스윽
……
흥!
상대는 정우성이다. 통할 것 같으냐!!

…………
우리나라 최고의 에이스 정우성에게…,
북산의 1학년 에이스 서태웅이 도전하겠다는 건가!
녀석이 고교 NO 1. 플레이어다.
녀석을 쓰러뜨리면 국내 최고가 될 수 있을지도….
당한만큼 갚아줘, 태웅아!
승부를 피했다간 넘을 수 없어요.
이 선수는….

국내 최고라….
――!!

두웅
!!
우웃?!

날카로운 돌파!
내가 막을게!
!
이 천재를 그냥 놔두다니!
좋았어!!
NOW!
패-스!
제쳤다?!
오와아아

#228 프라이드

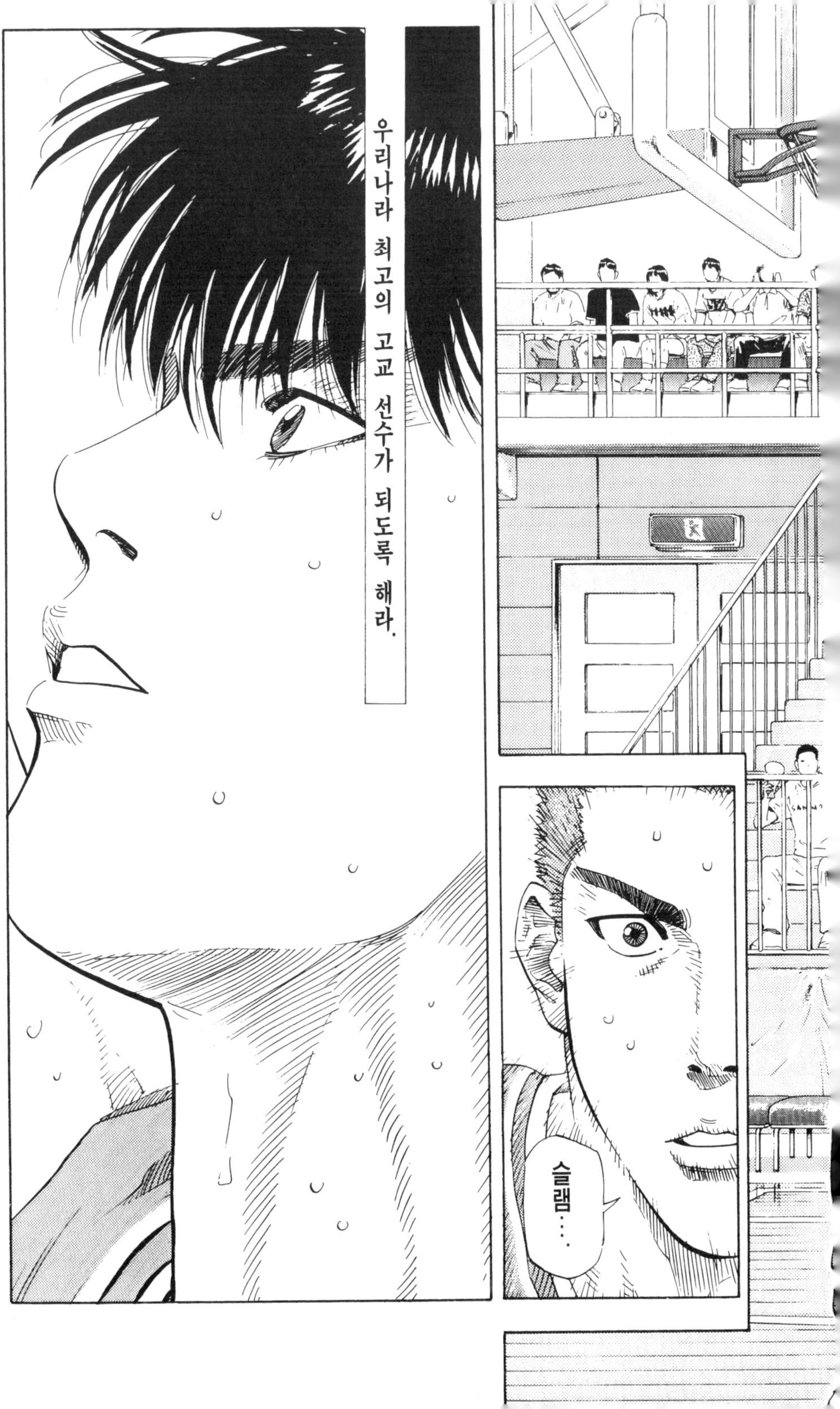
우리나라 최고의 고교 선수가 되도록 해라.
슬램….

!!
우욱!
산왕이 우리나라 제일의 팀이라면….

내가 이들을 물리쳐서 정상을 차지할 것이다.
!!
꿈틀
있었어….
우성이와 견줄만한 드라이브 인을 하는 선수가….

이…
이길 수 있을지도 …!!
앗!
……
"산왕이 뭐야?"
…라니.
맴 맴 맴 맴…
맴
기자들의 반감을 산 것 같구나.
왕자에 대한 모욕으로 비췄겠지.
하지만 정말 모르는 걸 어쩌라구요.
뭐, 괜찮겠지.
너 같은 녀석도 필요하니까.

산왕을 무찌르기 위해선 말야….

와아아아아아아
…열기가 달아오른 것 같네요.
네
산왕군단의 인기는 끝내주니까.

꺄아아~!
이 미워할 수 없는 녀석!
와아아아아아
우와아! 나이스 슛, 서태웅—!
불불
서태웅 같은 비실비실한 놈한테 당하다니.
앙?
원시인 같은 낯짝을 한 주제에….
……
……?
나라면 막을 수 있었다.
……
와—
와—
와—
어?

지고 있잖아….
와
북산
16:32
17
SEIKO
1ST
산왕공업
12
와
와
북산…?
처음 듣는데?
정~우~성~.
찔끔…
너, 어제 저녁에 비디오 안 봤냐?
멍하니 있다가…,
꼴사납게 당하기나 하고 말야.
지금 네 플레이에 여성팬들의 실망이 컸을 거야.
난 그런 거 신경 안 써요!
좋을 대로 해용.
네가 에이스니까용.
단….
山王工高
에이스가 당하면 상대가 더욱 거세진다는 걸 명심해용.
상대에게 당하는 에이스라면 오히려 없는 게 나으니까용.
바로 교체예용!

난 당하지 않아요!
저 말투, 어떻게 안되나…
첫, 빌어먹을!
너의 실력을 인정하마!
내가 방심했어!
비디오로 녀석의 실력을 봐놓고 깜박하다니!
안됐지만, 방금 전의 플레이가 네 활약의 처음이자 마지막이 될 것이다.
하지만 수치스러워 할 건 없다.
내가 온힘을 다하게 해줬으니까.

아얏!
!
탁
아?!
정우성!
아앗?!
정우성!
좋아, 달려라!!
고교 No.1 플레이어란 녀석은….
바보란 건가…?

와아앗, 한 골 넣었다!!
원맨 속공!!
꺄아―♡

아니?!
삐익!!
산왕 9번!
파울~!!
욱!!
예? 파울?!
정~우~성~.
웅성…
삐익
교체입니다.
……
……
와
와

흠, 아직 저 녀석은 현철이나 명헌이에 비해 정신적으로 들쭉날쭉해.
에이스를 퇴장시키다니….
능력에 있어서는 두말할 여지가 없는데….
젠장!
준호군, 태웅군이 프리스로를 쏘고 나면 교체하도록 해요.
아… 예!
이렇게 빨리?!
철썩
교체입니다.
삐약
태웅아!!
6번 마크예요!
으응.
나이스 플레이!!
산왕공업 12 1ST HALF
북 산 19 15:44

……
……
나이스 플레이, 서태웅!
나이스!
좋아, 이제 들어오지 마라.
양팀 에이스를 동시에 불러들이다니.
경기는 40분간이다. 지금 충분히 쉬게 할 필요가 있겠지.
저놈은 체력이 약하니까. 카카캇!
그게 나하고 다른 점이다!
……
원맨속공이란 건 절대적인 득점 찬스다.
그 상황에서 눈 깜짝할 사이에 따라잡아 볼을 쳐낸 정우성. 서태웅은 자존심에 상처를 입었다.
정우성을 제친 것 따윈 이미 서태웅의 머릿속에서 사라져버렸다.
빌어먹을

삐익
교체입니다.
산왕이 또?
이번엔 정성구다.
원시인…
원시인?!
됐다! 저 5번이 물러나면 백호도 조금은 자유롭게….
아니!
!
!!
깜
짝
쿵

나왔다——!
와—
와—
거인이잖아!!
신현필——!
와—
山王工高
15

2m 10cm!! 신현필.
호오, 벌써 나올 시기가 됐나?
저 애가 이번 대회에서 너보다 더 큰 선수다.
신현필?
아직 아무것도 안 했다!
두근 두근..
미안해, 형!!
내가 상대해야 한다구?
뭣?!
모르는———척

꾸부정 3형제

#229 빅맨

와아아아아아
엄청 크다~!
재가 신현철 동생이야!
……
형보다 훨씬 큰데!! 위로 보나 옆으로 보나….
이봐, 이봐, 이봐, 이봐~!
백호가 땅꼬마처럼 보이는걸!!
이거 만만치 않겠어….
15번 신현필…. 210cm!
210 !!
재… 인간 맞니…?
물렁살이군.

189.2cm 인데도….
정말 백호가 작게 보여…!
와
두둥…
하지만… 지면 안 돼, 백호야!!
그 선수를 마크할 수 있는 건 너밖에 없으니까!!
와
와
야, 현필아! 포지션을 차지해!
앗.
와
미안해, 형…!!
슬금
윽!
턱
온다, 강백호!

오잉?!
욱
이놈이…
욱
여기!
슈웅
……
응?!

콱
땅
큭…!
빙글

철썩
—!!

으으윽~!!
성공이다.
잘했다
—!!
나이스 슛,
신현필!!
나이스,
신현필!
뭐야,
저건!!
저래도
되는
거야?!
파울이…!
그래,
맞아!
파울이야!
농구는
원칙적으로
신체적 접촉을
금지하는
것으로부터
시작되었다.

서로 밀고 당기면서 상대를 제압하는 것이 승패에 상당히 큰 부분을 차지하고 있다.
그러나 100여년이 지난 현재에 이르러서는….
따라서 센터와 파워포워드는 몸싸움에서 상대를 제압해야만 한다.
미안해, 형!!
어서 돌아가!!
명헌 선배, 나이스 패스였어요. 내가 손을 뻗었을 때 한치의 오차도 없이….
역시 대단해요.

산왕에 저런 선수가 있었다니…
5번 정성구와의 포지션 싸움도 꽤 힘들겠지만…,
저 신현필은 그 이상일지도 몰라.
여태껏 본적이 없어.
……
……
저 정도의 몸이라면 분명 움직임도 둔할 것이다.
네 스피드와 운동량으로 어떻게 되지 않겠냐?
되지 않겠냐구?
무슨 소리야, 고릴라. 그쪽이야말로 떡판 고릴라한테 짓눌리고 있으면서….
누가 짓눌리고 있다는 거냐!
떡판 고릴라?!

고릴라,
골밑의 제왕이
누구인지
저 형제에게
가르쳐 주자구!
당연하지!!
야, 정신
똑바로 차려!
미안해,
형!!

와아아아아아
자아, 가자! 디펜스 한 개!!
침착하게 나가라, 현필아!!
예에!
파이팅, 북산!!
……
툭
앗?!
우와~ 굉장한 머리다.
가까이서 보니까 새빨갛잖아.
툭
뭘 보는 거야!
시골 호박 같은 얼굴을 한 주제에.
아, 예에…. 자주 듣는 얘기죠. 시골 호박….
시끄러워!
미안해, 형!!

그 빨강 까까머리를 너한테 맡기겠다!
책임지고 막아!!
알았어, 형~.
시끄럿, 떡판 고릴라!
떡판 고릴라?
고릴라가 떡판이 된 모습이잖아.
아하하!
뭘 낄낄 거리나!?
미안해, 형!!
좋았어!
10번 마크 오케이!!

괜찮겠냐?
동생 쪽에
신경이나
쓰고….
응?
그럴 여유가
없을 텐데!
……
있다고 하면?

좀 더 전력을 다해 덤벼보시지, 채치수!

날 밀어제치고
슛을 넣은 건
용서할 수
있어…
승부니까
그러나 넌
불행하게도
상대를
잘못
선택했다.
우리 지역에서는
나를 뭐라고
불렀는지 아냐,
호박!
호박?
천재 강백호!!

HOK

우욱!
으아앗!
좋아, 패~스!!

삐이익
10번!
파울!
오펜스!!
아앙?!
오펜스 파울이다!!
당연하지!
제정신이야! 저 10번!!
우우우우우

호박은
파울이 아니고,
왜 나만
파울이야!
심판 바꿔야 돼!
부들부들
멍청아!
또 퇴장당할
셈이냐!!
카카카캇!
과연
우리 지역
최고의
퇴장왕답다!
별명이
꽤 많군요….
천재에
퇴장왕….
……!!
저 바보는
안 된다니까
….

천재 바스
리바운드왕
가이 & 천재
의 제왕
를 부르
강백호
기합은
도
강백호
강백호 터프
강백호 골밑
강백호, 승리
는 남자
재능과
그 누
따를
10

#230 국지전

지금까지 전혀 자기 페이스를 못 찾은 산왕은 첫 번째 작전타임을 불렀다.
잘했어!!
좋아, 좋아, 좋아!!
우린 이길 수 있어!!
굉장해! 우리가 산왕에게…
예!!
우리 페이스대로 나가고 있어요.
좋아요.
5점 리드하고 있어…!!

오케이! 경기내용은 나쁘지 않아.
단지 우리가 약간 들떠있기 때문이다.
산왕은 지금 당황하고 있어.
대만이의 3점슛이 이렇게까지 잘 들어가리라곤 생각도 못했겠지.
3연속 3점슛 이니까…
지금은 북산이 운이 좋을 뿐이다.
14번 정대만의 3점슛도 계속해서 들어가진 않을 거다.
훗….
그래서 대만이를 마크하는 게 더욱 심해졌어.
실력 이상의 재주를 피우다니….
뭣이?!
그래….
흐음….
그래서 다음 작전을….

와
와
……
와
네가 공격의 주축이다.
예?
와
와
현필아!
와
와
예에.

명헌아,
공격의 중심을
현필이로 돌려서
변화를 주자.
예!
SANNO BASKETBALL
……!!
신현필.
210cm.
130kg.
걱정마라,
현필아.
연습대로 하면
넌 지지
않을 거야.
예…
예….
그는 바로
고교
최고의 센터,
신현철의
동생이다.
현필아.
신현필의 어머니
고교 최강 센터인
형의 기세에 눌려 커왔던
이 농구 플레이어에게,
'경험'과 '자신감'을
심어주고 싶다.
이것이 내년
혹은 내후년을
위한 산왕의
작전이었다.

이 시합에서
패한다는 건
전혀
생각지도 않는
산왕의 도감독.
그리고
북산의 안감독은
바로 이 점을
파고 들어가려는
것이었다.

에에에-엣!!
응?
그…
그건 너무 위험이 큽니다, 선생님!!
다시 한번 생각을…!
반대.
응?
이판사판식의 도박을 하기엔 아직 시간이 많이 남아있다구요.
후후후….

조용하세요, 조연!!
이건 도박이 아녜요…. 충분히 계산된 작전입니다.
하… 하지만…!!
백호군. 여름방학 특훈을 잘 기억하고 있겠죠?
당연하죠, 영감님!! 실력이 더욱 향상됐다구요!
백호군도 이젠 북산의 무기 중 하나예요.

……!!
들었냐?
들었지?
잘 들었지?
네놈은 안 들었냐?
…들었어?
으응….
얼핏 들은 것 같아….
Ta
"백호를 중심으로…"
"공격을…?"
북산
산왕공업
북산도 꽤 하는걸…!!
이 시간까지 산왕을 상대로 리드를 지켜오다니….
이제 시합이 더욱 재미있어 지겠는데…!!

경기 시작합니다!
와
어서 나가라, 현필아!
아… 예에!
와
와
자아, 가자! 너흰 내 뒤만 따라 와!!
명현아, 동오야!!
틈이 보이면 언제라도 속공을 펼쳐라.
예!!
현필아.
동생을 도와줘라.
저 녀석한텐 아직 이른 거 아닌가요?

판석아, 저 신현필이란 애도 너랑 같은 1학년이다.
와
내년… 그리고 내후년…. 분명 네 라이벌이 될 것이야.
와
……
와
저 빨강머리는요, 아저씨?
응?

쿵
으와!!
우응
또 신현필의 ※포스트 업!!
와아아아!
이제부터 산왕은 신현필로 갈 셈이군!
※포스트 업: 골대 가까이에서 패스를 받기 쉽게 포지션을 따내는 것.
크…!
등과 궁둥이의 압력이…!
으윽…!
질까보냐!
…
저 바보….
아직도 저 뚱땡이한테 힘으로만 대항하고 있어.
하지만 대항하지 않으면 골밑까지 밀려 버리잖아?
그럼 또 간단하게 점수를 내줄 텐데….
뭐… 그렇지만.
힘으로 공격해오는 상대에게… 힘으로 대항해서 어쩔 셈이냐.

좋아, 볼을 잡았다!
벌써 골밑에 자리를 잡았어!
빙글
우와아아앗!
좋았어!

와아아아아아
파이팅! 산왕!
나이스 슛, 신현필!
나이스, 신현필!
잘한다!
그거면 돼!!
아무것도 두려워할 것 없다!!
빌어먹을~!
고릴라! 저 녀석, 반칙 아냐?
등으로 힘껏 밀었다구!!
저건 파울이 아냐! 포지션을 빼앗긴 네가 잘못이지.
너도 밀어붙여.
와!
와!
북 산
12:41
산왕공업
SEIKO
1ST
19
16
와!
예에!!
신경 쓰지 마, 백호야!! 다시 점수를 벌려놓으면 돼!
알았다구요!!

어차피!
내가 '공격의 중심' 이니까….
걱정돼…. 정말 걱정이야.
선생님은 왜 저 바보를 공격 중심으로….
태섭아!
응?

……!!
第 回 国高等学校バスケットボール選手権
JABBA
!?
백호가…
포스트 플레이를…?!
북산이…
승부를 포기했나?
안선생님이 자신 있게 말했으니까…,
나도 믿을 수밖에 없다.

다
들어갔다!
백호가 북산의 무기가 되었다는 것을…!
막
이건 ※국지전이에요.
……………
즉, 아무리 실력차가 있어도 이 부분만큼은 반드시 이길 수 있다고 하는 포인트로 승부하는 거예요….
꿀
꺽

※국지전: 지역적으로 한정된 범위에서 이루어지는 전쟁.

그 '이길 수 있다는 부분' 이….
아…?!
설마…
강백호…?
신현필과의 1대1 대결 이라면….
백호가 절대 유리해요.

……
……!!
Ta.
백호가 이길 겁니다!
20 SLAM DUNK(完)

훗
승리를
남자 강백호
해서는 수단
는 강백호
정 하지 않
강백호
보다
승리지상
리를 위
리지 않
패배를 이
는 남자
끼 밥

SLAM
슬램덩크 완전판 프리미엄
DUNK

SLAM DUNK

슬램덩크 완전판 프리미엄 20

2007년 9월 23일 1판 1쇄 발행　2023년 2월 14일 2판 3쇄 발행

•

저자 …… TAKEHIKO INOUE

•

발행인 : 황민호
콘텐츠1사업본부장 : 이봉석
책임편집 : 김정택/장숙희
발행처 : 대원씨아이(주)

•

서울특별시 용산구 한강대로 15길 9-12
전화 : 2071-2000 FAX : 797-1023
1992년 5월 11일 등록 제 1992-000026호

•

•

ISBN 979-11-6944-816-1 07830
ISBN 979-11-6944-793-5 (세트)

•

SLAM
슬램덩크 완전판 프리미엄
DUNK

SLAM

슬램덩크 완전판 프리미엄

DUNK